CUISINE

JAPONAISE

POUR DEUX

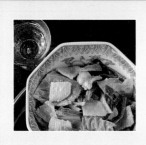

CUISINE

JAPONAISE

POUR DEUX

Kurumi Hayter

KÖNEMANN

À mon mari Simon
qui m'a soutenue et encouragée.
Avec des remerciements tout particuliers à ma mère Keiko.

TRADUCTION DE L'ANGLAIS : *Carole Coen*
RÉALISATION : *Cosima de Boissoudy, Paris*
LECTURE : *Roxanne Camporeale*
CHEF DE FABRICATION : *Detlev Schaper*
IMPRESSION ET RELIURE : *Leefung Asco Printers*
Imprimé à Hong Kong, Chine

ISBN 3-8290-1487-2

10 9 8 7 6 5 4 3 2 1

SOMMAIRE

PRÉFACE

Depuis quelques années, la cuisine du Sud-Est asiatique remporte un succès grandissant en

Occident. Les livres de recettes thaïs ou indonésiennes (pour ne citer que ceux-là) sont désormais

disponibles dans la plupart des librairies. Et pourtant, combien d'entre nous sont capables de

citer d'autres plats japonais que les éternels sushi et tempura ? On considère généralement

la cuisine japonaise comme un art ésotérique dont la maîtrise exige des années de formation

et d'expérience. Ce malentendu est d'autant plus regrettable que la gastronomie nippone déploie

une aussi large palette de parfums et de saveurs que n'importe quel autre art culinaire d'Asie.

En outre, nombre de plats sont aussi faciles que rapides à préparer.

Cet ouvrage présente une importante sélection de délicieuses recettes qui ne demandent

aucune compétence ni préparation particulières. Nous souhaitons sincèrement que la confection

et la dégustation de ces plats soient pour vous une expérience aussi agréable qu'enrichissante.

INTRODUCTION

LES SAVEURS DE LA CUISINE JAPONAISE

La cuisine japonaise repose sur trois goûts principaux : le salé, le sucré et l'aigre. On les obtient par l'utilisation, simple ou combinée, des ingrédients de base suivants :

- la sauce de soja
- le *miso* (pâte de soja fermentée)
- le vin de riz japonais ou saké
- le *mirin* (mélange d'une sorte de saké avec du sucre)
- le *dashi* (fumet préparé à partir de bonite ou d'algues séchées, ou d'un mélange des deux selon le goût désiré)
- le sel de mer
- le sucre en poudre

TECHNIQUES DE BASE

Premier atout de la cuisine japonaise : pour débuter, nul besoin d'ajouter une batterie de nouveaux ustensiles à celle que l'on possède déjà. Quant aux ingrédients, l'achat d'une bouteille de sauce de soja, de saké, de *mirin* et de *dashi* instantané (disponibles dans les magasins d'alimentation diététique et, bien sûr, dans les épiceries japonaises ou chinoises) suffira pour préparer la plupart des recettes présentées ici.

Le cuisinier japonais utilise trois méthodes de préparation de base :

La cuisson au grill OU *YAKIMONO*

C'est la technique culinaire la plus rapide. Généralement, la viande, le poisson ou les légumes se présentent sous forme de brochettes, le plus souvent marinées. On les arrose parfois de sauce en cours de cuisson. Dans certaines recettes, on sale le poisson avant de le mettre sur le grill.

La cuisson à feu doux OU *NIMONO*

Les plats *nimono* associent essentiellement viande et légumes, ou poisson et légumes ; il en existe cependant à base de poisson ou de légumes seuls. Certains *nimono* nécessitent un fumet, tandis que d'autres se contentent d'une touche de sauce de soja ou de *mirin* — parfois de sucre ou de saké.

La friture à haute température OU *AGEMONO*

La *tempura*, probablement le plus connu des plats japonais, ne constitue que l'une des possibilités du répertoire « friture » de la cuisine nippone. Il existe bien d'autres recettes à base de légumes, de poisson ou de viande. Différentes pâtes sont utilisées pour cette méthode de cuisson : à la farine ordinaire — pour les *tempura* —, à la farine de féculent ou aux miettes de pain.

PRÉPARER LA VIANDE

Dans la cuisine japonaise, la viande est souvent coupée en tranches très fines. L'un des avantages de cette technique est qu'elle crée une impression de volume, même avec de petites quantités. Si vous ne trouvez pas de viande tranchée assez finement, demandez à votre boucher de le faire ; si vous tenez à le faire vous-même, sachez que la viande légèrement congelée se coupe beaucoup plus facilement.

PRÉPARER LES LÉGUMES

Il y a trois méthodes de coupe différentes.

❶ *Ran giri* ou la coupe en gros dés. Épluchez le légume et faites-le rouler avec la main à mesure que vous le coupez, afin d'obtenir des morceaux de forme irrégulière.

❷ *Naname wa-giri* ou la coupe en biais. Les tranches en biais sont plus longues que celles coupées à la verticale.

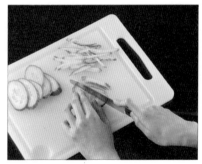

❸ *Sengiri* ou la coupe en allumettes. Découpez les tranches en minces bâtonnets.

L'ART DE MANGER

Les baguettes sont l'une des nombreuses inventions chinoises assimilées par la culture japonaise. On les appelle *o-hashi*. À condition de les tenir correctement, utiliser des baguettes est aussi facile que de se servir d'un couteau et d'une fourchette. Suivez les instructions et les photos ci-dessous et les *o-hashi* n'auront plus de mystères pour vous.

❶ Imaginez que vos baguettes sont des mâchoires disposées à l'envers. La baguette inférieure, calée entre le bout de l'annulaire, l'intérieur du pouce et l'articulation de l'index, reste fixe.

❷ La baguette supérieure est alors actionnée du bout du majeur, de l'index et du pouce, de façon à l'ouvrir et la refermer sur la baguette inférieure.

Quelques règles de conduite de base à retenir :

• Ne pas tenir ses baguettes au-dessus d'un plat en attendant de choisir (mayoi-bashi).

• Ne pas piquer la nourriture avec ses baguettes (sashi-bashi).

• Ne pas se servir de ses baguettes pour tirer un plat à soi ou le repousser sur la table (yose-bashi).

• Ne jamais passer de la nourriture avec ses baguettes : cela évoque le rituel bouddhiste de manipulation des os des morts (hashi-watashi).

• Tenir son bol de riz de la main gauche et ses baguettes de la main droite. Les gauchers peuvent inverser.

• Lors d'un repas officiel, ne pas se servir directement dans le plat de présentation, mais d'abord placer la nourriture dans le bol individuel réservé à chacun.

• Les nouilles japonaises, ou men, peuvent se consommer bruyamment à l'aide des baguettes. En revanche, les soupes japonaises, ou sui-mono, doivent être absorbées avec discrétion.

PRÉPARER ET SERVIR UN REPAS JAPONAIS

L'usage occidental d'un dîner composé d'une succession de plats n'a pas cours au Japon, où tous les éléments du repas sont servis en même temps. En guise de dessert, souvent négligé, l'on propose des fruits frais et du thé vert. Un véritable repas japonais comprend du riz, une soupe, une petite assiette de condiments, un plat principal de poisson ou de viande et un plat d'accompagnement. Lors d'une grande occasion, un second plat d'accompagnement et parfois un second plat principal, selon l'importance de l'événement, complètent le dîner. Un hôte accompli s'efforcera de varier chaque plat de manière à ce que le repas offre le plus de saveurs, de goûts et de types de préparations possibles. Voici un exemple de menu pour un grand dîner : poisson grillé et beignets de poulet frits, graines de soja braisées et épinards saupoudrés de graines de sésame et de sauce de soja, riz, soupe et condiments. On est en droit de se demander comment un cuisinier parvient à préparer et à présenter une telle quantité de plats en même temps. En fait, nombre de recettes peuvent se confectionner à l'avance. Certains plats sont réchauffés avant d'être servis, d'autres se dégustent plutôt tièdes que chauds. Seules exceptions : les préparations cuites directement sur la table, telles que le *sukiyaki*, ainsi que les soupes et les nouilles, qui ne sont jamais préparées à l'avance et se servent très chaudes.

Les boissons japonaises

Aujourd'hui, le saké, vin de riz traditionnel, accompagne moins fréquemment les repas qu'autrefois. Nombre de Japonais lui préfèrent la bière blonde. Les adeptes de boissons non alcoolisées arrosent leur repas de thé vert, ou *o-cha*.

FUMET DE POISSON JAPONAIS

DASHI

Le *dashi*, ou fumet de poisson, constitue l'un des ingrédients essentiels de la cuisine japonaise. Il s'obtient à partir de *katsuo-bushi* (miettes de bonite) ou de *konbu* (une variété d'algue). Certains *dashi* résultent d'un mélange des deux, et c'est cette recette que nous vous présentons ici. Il existe deux sortes de *dashi* : le « premier » s'utilise dans les consommés *(chawan mushi)* et les soupes *miso* ; le « normal » convient aux plats mijotés et aux nouilles ; on l'ajoute parfois également au premier *dashi*.

PREMIER DASHI	DASHI NORMAL
POUR 800 ML DE FUMET	**POUR 1 LITRE DE FUMET**
1 l d'eau	*1,2 l d'eau*
Une bande de 15 cm de konbu (algue séchée), coupée en trois	*Le konbu et les miettes de bonite du premier dashi*
30 g de miettes de bonite	*15 g de miettes de bonite séchée*

❶ Verser l'eau dans une casserole, ajouter le *konbu* et porter lentement à ébullition. Lorsque le liquide frémit, retirer le *konbu* et ajouter les miettes de bonite. Lorsque celles-ci commencent à remonter et que le liquide bout, arrêter la cuisson. Attendre que les miettes retombent au fond de la casserole.

❶ Verser l'eau dans une casserole, ajouter le *konbu* et les miettes de bonite déjà cuits, ainsi que les miettes de bonite séchée. Porter à ébullition et laisser mijoter à feu moyen jusqu'à réduction d'un tiers environ. Filtrer à travers une mousseline ou un grand filtre à café.

❷ Le *konbu* et les miettes de bonite peuvent être conservés pour un prochain *dashi* normal.

LE DASHI INSTANTANÉ

Il est possible d'obtenir du dashi instantané à partir de granulés de fumet séché congelés. C'est une alternative pratique, même si les opinions divergent quant à l'authenticité du goût obtenu. Si vous achetez du dashi instantané et que les instructions sont en japonais, faites comme suit :

Dans une casserole, mélanger une cuillerée à café pleine de granulés dans 600 ml d'eau froide et porter à ébullition.

SOUPE DE MISO aux algues wakame et à l'oignon

WAKAME TO TAMA-NEGI NO MISO-SHIRU

La *miso shiru* est la soupe la plus facile du monde à faire. Au Japon, on la consomme au petit déjeuner comme au déjeuner. Le soir, elle accompagne un plat principal et un bol de riz.

Les algues *wakame* et le tofu sont les deux ingrédients les plus couramment utilisés pour cette soupe. On ajoute également parfois des légumes frais coupés en morceaux. Chaque famille a ses préférences et les variantes sont extrêmement nombreuses.

Contrairement aux usages occidentaux, la soupe de *miso* se boit directement au bol ; on utilise les baguettes pour les morceaux de tofu et de légumes.

INGRÉDIENTS

500 ml de dashi (voir p. 13)
½ oignon moyen, émincé
2 cuil. à café de wakame (algues séchées)
2 cuil. à soupe de miso (pâte de soja fermentée)

❶ Verser le *dashi* dans une casserole. Ajouter l'oignon. Porter à ébullition, puis laisser cuire à feu doux jusqu'à ce que l'oignon devienne transparent.

❷ Ajouter le *wakame* et laisser cuire quelques minutes, jusqu'à ce qu'il gonfle.

❸ Ajouter le *miso* et remuer à l'aide d'un petit fouet, jusqu'à complète dissolution. Prolonger la cuisson jusqu'à ébullition. Ne pas laisser bouillir plus de 1 à 2 minutes : la soupe serait trop salée. Servir aussitôt.

SOUPE DE MISO au tofu tendre et aux oignons de printemps

KINU DOFU TO NEGI NO MISO-SHIRU

On utilise deux sortes de tofu dans la cuisine japonaise : le *kinu dofu*, ou tofu tendre, et le *momen dofu*, ou tofu ferme. Le *kinu dofu* arbore une surface lisse, tandis que le momen dofu se caractérise par un aspect plus rugueux. La soupe de *miso* est généralement confectionnée avec du *kinu dofu*.

INGRÉDIENTS

500 ml de dashi (voir p. 13)

100 g de tofu tendre coupé en dés de 1 cm

3 oignons de printemps, émincés

2 cuil. à soupe de miso

❶ Verser le *dashi* dans une casserole avec le tofu. Porter à ébullition, puis cuire à feu doux pendant 4 à 5 minutes.

❷ Ajouter les oignons et laisser cuire 1 minute supplémentaire. Incorporer le miso dans la soupe à l'aide d'un petit fouet, jusqu'à complète dissolution. Arrêter la cuisson à la reprise de l'ébullition. Servir aussitôt.

CONSOMMÉ aux œufs et aux poireaux

TAMAGO NO SUMASHI JIRU

Cette soupe claire à la saveur subtile se déguste généralement avec des sushi. L'ajout de champignons shitake en rehaussera le goût. Ne laissez pas le poireau bouillir trop longtemps, afin qu'il ne se délite pas complètement.

INGRÉDIENTS

500 ml de dashi (voir p. 13)
2,5 cm de poireau coupé en deux, puis en fines lanières
3 champignons shitake, émincés
Sauce de soja
1 œuf battu
½ cuil. à café de sel

❶ Porter le *dashi* à ébullition dans une casserole. Ajouter le poireau, les champignons, le sel et la sauce de soja. Laisser cuire 3 à 4 minutes.

❷ Incorporer progressivement l'œuf battu, tout en remuant énergiquement pour éviter la formation de grumeaux. Servir aussitôt.

BŒUF MIJOTÉ aux pommes de terre

GYUNIKU NO NIKU-JAGA

Au Japon, ce plat est considéré par chaque famille comme une spécialité maison que l'on mitonne avec amour.

INGRÉDIENTS

40 ml d'eau
1 cuil. à soupe ½ de saké
2 cuil. à soupe de sauce de soja
2 cuil. à soupe de sucre en poudre
225 g de bœuf finement tranché, coupé en morceaux de 5 cm de long
255 g de pommes de terre, pelées et coupées en petits dés
85 g de petits pois surgelés

❶ Verser l'eau dans une casserole. Ajouter le saké, le sucre et la sauce de soja. Porter à ébullition.

❷ Ajouter la viande et laisser cuire quelques minutes. Quand elle est cuite, retirer la viande et réserver. Mettre les pommes de terre dans la casserole, couvrir et laisser cuire 10 minutes. Les pommes de terre doivent être tendres.

❸ Ajouter les petits pois et prolonger la cuisson de 3 mn. Remettre la viande à cuire pendant 3 minutes environ. Servir chaud accompagné d'un bol de riz et d'un ou deux plats de légumes.

HAMBURGERS à la sauce aux champignons shitake

BEEF HAMBURGER NO SHIITAKE SAUSU

Voici la version japonaise d'un classique occidental, plat contemporain s'il en est. La sauce restitue la subtile saveur des champignons shitake, que le gingembre et la sauce de soja rehaussent à merveille.

INGRÉDIENTS	POUR LA SAUCE SHITAKE
25 ml d'huile végétale	50 g de champignons shitake émincés
1 petit oignon, finement émincé	150 ml d'eau
½ pain de mie à la farine complète, tranché et émietté	1 cuil. à soupe de saké
1 cuil. à soupe ½ de lait	1 cuil. à soupe de sauce de soja
225 g de bœuf haché	½ racine de gingembre, épluchée
½ œuf battu	2 cuil. à café de Maïzena
½ cuil. à café de sel	
Poivre noir fraîchement moulu	

❶ Faire chauffer 2 cuil. à café d'huile dans une poêle. Y faire dorer les oignons. Mettre les miettes de pain à tremper 5 mn dans le lait. Râper le gingembre et le presser pour extraire le jus.

❷ Mettre le bœuf, l'oignon, l'assaisonnement et l'œuf dans un bol et mélanger

❸ Diviser le mélange en deux parts. S'humidifier les mains et former des hamburgers.

❹ Faire chauffer le reste de l'huile dans la poêle. Faire frire les hamburgers 5 mn environ de chaque côté. Réserver.

❺ Ajouter les shitake dans la poêle, puis l'eau, le saké, la sauce de soja et le jus de gingembre. Saler, poivrer. Porter à ébullition et laisser cuire 1 mn avant d'incorporer la Maïzena diluée dans un peu d'eau pour épaissir la sauce. En napper les hamburgers et servir aussitôt.

STEAK à l'ail et à la sauce de soja

STEAK NO NIN-NIKU SAUSU

Un steak à l'occidentale agrémenté d'une sauce à la japonaise, pour une association très réussie. Souvenez-vous que le temps de cuisson de la viande dépend de son épaisseur et de votre goût. Ce plat facile s'accommode aussi bien d'un accompagnement japonais que d'une simple assiette de légumes.

INGRÉDIENTS

2 tranches d'aloyau ou de rumsteck, de 150 à 200 g chacune
1 cuil. à soupe d'huile végétale
5 gousses d'ail, émincées
1 cuil. à soupe de saké
15 g de beurre
1 cuil. à soupe de sauce de soja
Poivre noir fraîchement moulu

❶ Marteler la viande des deux côtés à l'aide d'un marteau à viande ou d'un rouleau à pâtisserie, puis assaisonner de poivre.

❷ Faire chauffer l'huile dans une poêle. Faire rapidement revenir l'ail. Retirer et réserver.

❸ Saisir les steaks à feu vif sur les deux faces. Ajouter le saké et laisser cuire 1 mn supplémentaire. Disposer la viande dans des assiettes chaudes.

❹ Remettre l'ail dans la poêle. Ajouter le beurre et la sauce de soja. Arrêter la cuisson à ébullition. Napper les steaks et servir aussitôt.

INDICATIONS DE TEMPS DE CUISSON

(pour un steak de 150 à 200 g)
Saignant : 3 mn de chaque côté
À point : 4 mn de chaque côté
Bien cuit : 6 mn de chaque côté

PORC SAUTÉ au gingembre et à l'oignon

BUTA-NIKU NO SHOUGA YAKI

Les saveurs conjuguées de la sauce de soja et de la marinade au gingembre s'accordent magnifiquement avec la viande de porc. Comme la plupart des plats japonais, le *buta-niku no shouga yaki* est aussi facile que rapide à réaliser.

INGRÉDIENTS

225 g de fines tranches de porc, coupées en morceaux de 5 cm de long

1 cuil. à soupe d'huile végétale

1 oignon moyen, épluché et émincé

POUR LA MARINADE

25 g de gingembre frais épluché, râpé et pressé

1 cuil. à soupe ½ de sauce de soja

1 cuil. à soupe de saké

❶ Préparer la marinade : mélanger le jus de gingembre, la sauce de soja et le saké dans un bol.

❷ Ajouter le porc et laisser mariner pendant 30 minutes. Faire chauffer l'huile dans une poêle et faire revenir l'oignon, jusqu'à ce qu'il devienne transparent. Retirer et réserver.

❸ Faire revenir la viande à la poêle pendant 5 minutes.

❹ Remettre les oignons et les laisser 1 à 2 minutes à feu vif.

❺ Ajouter le reste de la marinade et prolonger la cuisson de 1 à 2 minutes à feu vif. Servir accompagné d'un bol de riz nature bien chaud.

POITRINE DE PORC mijotée au daikon

DAIKON TO BARA-NIKU NO UMA-NI

Nombre de plats japonais sont mijotés. Le *daikon* est un radis géant japonais que l'on trouve aujourd'hui facilement dans les épiceries spécialisées. Si toutefois vous ne pouvez pas vous en procurer, remplacez-le par du radis noir.

INGRÉDIENTS

2 cuil. à soupe d'huile végétale
225 g de poitrine de porc, coupée en morceaux de 1 cm de long
225 g de daikon (radis japonais), épluché puis coupé en petits morceaux irréguliers
3 cuil. à soupe de saké
2 cuil. à soupe de sauce de soja

❶ Faire chauffer l'huile dans une casserole et ajouter la viande. Faire revenir jusqu'à ce qu'elle dore.

❷ Ajouter le *daikon* et bien mélanger. Incorporer ensuite le saké, couvrir et laisser cuire à feu doux pendant 10 minutes.

❸ Ajouter la sauce de soja, couvrir et prolonger la cuisson encore 5 minutes, jusqu'à ce que le *daikon* soit tendre. Servir chaud accompagné d'un bol de riz.

ÉCHINE DE PORC panée et frite

TONKATSU

Voici l'un des plus grands succès de la cuisine japonaise moderne. On le sert généralement accompagné de chou émincé et de ketchup, de sauce brune et/ou de moutarde.

INGRÉDIENTS

2 tranches de porc dans l'échine, de 150 à 200 g chacune
2 cuil. à soupe de farine
1 œuf battu
2 à 3 cuil. à soupe de chapelure
Huile végétale pour la friture

❶ Marteler doucement la viande à l'aide d'un marteau à viande ou d'un rouleau à pâtisserie pour la rendre plus tendre. Saupoudrer de farine et tremper dans l'œuf battu.

❷ Paner la viande en la roulant dans la chapelure.

❸ Faire chauffer l'huile à 170 °C et y plonger la viande (6 minutes environ selon son épaisseur). Servir garni de laitue, de rondelles de tomate et de concombre. Se consomme assaisonné de ketchup, de sauce brune ou de moutarde.

BOULETTES de porc à la sauce de soja sucrée

NIKU-DANGO NO AMAKARA-NI

La consommation de viande hachée est largement répandue au Japon. Les boulettes de porc, *niku-dango*, se trouvent toutes faites chez les traiteurs japonais ou peuvent être réalisées à la maison. Méfiez-vous : ces petites bouchées sucrées s'avalent comme des friandises !

POUR 16 BOULETTES

POUR LES BOULETTES

225 g de viande de porc hachée
25 g de poireau, émincé
1 cuil. à soupe de saké
½ œuf battu
1 cuil. à soupe de Maïzena
Huile végétale pour la friture
Une grande pincée de sel

POUR LA SAUCE

4 cuil. à soupe d'eau
1 cuil. à soupe de saké
1 cuil. à soupe de mirin (saké sucré)
1 cuil. à soupe de sucre en poudre
1 cuil. à soupe de sauce de soja
2 cuil. à café de Maïzena

❶ Confectionner les boulettes : mélanger la viande, le poireau, le saké, le sel, l'œuf battu et la Maïzena dans un bol. Malaxer jusqu'à ce que l'œuf soit incorporé et rende le mélange un peu collant. Prélever 1 cuillerée à soupe de cette préparation et former une boulette à la main. Répéter l'opération.

❷ Remplir une casserole d'huile au tiers environ. Faire chauffer à 180 °C et y plonger les boulettes pendant 5 minutes, jusqu'à ce qu'elles soient bien dorées. Ôter l'excès de graisse en disposant les boulettes sur du papier absorbant.

❸ Mettre l'eau, le saké, le *mirin*, le sucre en poudre et la Maïzena dans une casserole. Mélanger à feu doux jusqu'à épaississement. Ajouter les boulettes de viande et tourner jusqu'à ce qu'elles soient imprégnées de sauce. Servir accompagné d'un bol de riz nature et d'un plat de légumes.

BROCHETTES DE POULET à la japonaise

YAKITORI

La spécialité culinaire *yakitori* a prêté son nom à ces bars japonais où l'on se retrouve pour boire, manger et discuter. Les brochettes les plus courantes se composent de poulet et de foie de volaille. On les déguste accompagnées d'une sauce sucrée à base de sauce de soja appelée *tare* et proposée ci-dessous, mais vous pouvez aussi les saupoudrer simplement de sel ou de chili en poudre.

INGRÉDIENTS

POUR LA SAUCE	POUR LES YAKITORI
50 ml de sauce de soja	2 blancs de poulet avec la peau, coupés en dés (24 morceaux)
50 ml de mirin	
1 cuil. à soupe de sucre en poudre	1 poireau, coupé en 8 morceaux de 2,5 cm
1 cuil. à soupe de miel	½ poivron vert, épépiné et coupé en dés (8 morceaux)
La peau du poulet	
	8 brochettes de bambou ou de métal

❶ Préparer la sauce : mélanger la sauce de soja, le *mirin*, le sucre, le miel et la peau du poulet dans une casserole. Porter à ébullition et cuire à feu doux pendant 10 minutes, jusqu'à épaississement.

❷ Confectionner les *yakitori* : alterner morceaux de poulet, de poireau et de poivron sur les brochettes.

❸ Préchauffer le grill au niveau le plus bas. Faire cuire les *yakitori* jusqu'à ce que la viande blanchisse (environ 3 minutes).

❹ Régler le grill à température moyenne et imbiber fréquemment les *yakitori* de sauce en les retournant de temps en temps pendant 6 à 7 minutes, ou jusqu'à complète cuisson de la viande. Servir accompagné de riz et d'un plat de légumes.

FOIES DE VOLAILLE aux poivrons et à la sauce de soja sucrée

REBA TO PIMAN NO AMAKARA-NI

Les foies de volaille sont très appréciés au Japon. Les cuisiner à la sauce de soja et au sucre en masque l'odeur, peu appétissante pour certains, et en attendrit la chair.

INGRÉDIENTS

280 g de foies de volaille, coupés en morceaux
1 cuil. à soupe d'huile végétale
½ poivron vert, épépiné et coupé en fines lamelles
1 cuil. à soupe ½ de sauce de soja
1 cuil. à soupe ½ de mirin
½ cuil. à soupe de sucre en poudre

❶ Plonger les foies dans un bol d'eau bouillante pour les blanchir. Les égoutter.

❷ Faire chauffer l'huile dans une poêle. Faire revenir le poivron pendant environ 3 minutes. Retirer et réserver.

❸ Ajouter les foies dans la poêle et cuire à feu moyen pendant environ 7 minutes. Arroser de sauce de soja et de *mirin*, saupoudrer de sucre et continuer à cuire en remuant pendant environ 5 minutes.

❹ Remettre les poivrons dans la poêle et remuer doucement durant quelques minutes. Servir chaud accompagné de riz et de légumes.

BEIGNETS DE POULET FRITS

TORI NO KARA-AGE

L'association d'ail, de gingembre et de sauce de soja relève délicieusement le goût du poulet. Un filet de citron donnera la touche finale à ces savoureux beignets.

INGRÉDIENTS

2 blancs de poulet, coupés en dés

POUR LA MARINADE

3 cuil. à soupe de sauce de soja

30 g de gingembre frais, épluché et râpé

2 grosses gousses d'ail, épluchées et râpées

Sel et poivre fraîchement moulu

POUR LA PANURE

2 cuil. à soupe de Maïzena

2 cuil. à soupe de farine

Huile végétale pour la friture

2 rondelles de citron pour la garniture

❶ Faire mariner le poulet dans la sauce de soja, le gingembre, l'ail, le sel et le poivre pendant 30 minutes.

❷ Mélanger la Maïzena et la farine. Prendre chaque morceau de poulet mariné et le rouler dans ce mélange, jusqu'à ce qu'il soit complètement enrobé.

❸ Faire chauffer l'huile à 180 °C et y plonger les morceaux de poulet pendant 4 à 5 minutes, jusqu'à ce qu'ils soient bien dorés. Garnir de rondelles de citron et servir sur un lit de feuilles de salade.

HAMBURGERS AU TOFU

La version japonaise, moderne et diététique, d'un classique américain. Le tofu doit être *momen* (rugueux et ferme). N'oubliez pas de l'égoutter pendant quelques minutes avant utilisation pour ôter l'excès d'eau.

POUR 4 HAMBURGERS

25 g de carotte, coupée en morceaux
2 oignons de printemps, émincés
140 g de poulet haché
200 g de momen (tofu ferme)
½ œuf battu
1 cuil. à soupe de miettes de pain frais
1 cuil. à soupe de farine
1 cuil. à soupe d'huile végétale
Sel et poivre fraîchement moulu
2 rondelles de citrons pour la garniture
Sauce de soja pour servir

❶ Passer la carotte et l'oignon au mixeur. Ajouter le tofu, le poulet, l'œuf, les miettes de pain, la farine, le sel et le poivre. Bien mixer.

❷ Diviser le mélange en quatre portions égales. Leur donner la forme de hamburgers.

❸ Faire chauffer l'huile dans une poêle et cuire les hamburgers à feu doux (8 mn environ de chaque côté). Servir avec de la sauce de soja et garnir de rondelles de citron.

HARENGS MARINÉS FRITS

NISHIN NO TSUKE-YAKI

Voici un plat facile et rapide à réaliser. La marinade au saké et à la sauce de soja le rend d'autant plus savoureux.

INGRÉDIENTS

2 grands ou 4 petits harengs vidés, et dont les arêtes ont été ôtées
2 cuil. à soupe de farine
2 cuil. à soupe d'huile végétale

POUR LA MARINADE	POUR L'ASSAISONNEMENT
4 cuil. à café de saké	4 cuil. à café de sauce de soja
4 cuil. à café de sauce de soja	2 cuil. à café de vinaigre de vin
	1 cuil. à café de sucre en poudre

❶ Mélanger le saké et la sauce de soja. Verser sur les harengs et laisser mariner pendant 30 minutes en les retournant 2 ou 3 fois.

❷ Pendant ce temps, préparer l'assaisonnement : mélanger la sauce de soja, le vinaigre et le sucre dans un bol.

❸ Essuyer les harengs avec du papier absorbant et les tremper dans la farine.

❹ Faire chauffer l'huile dans une poêle et faire frire les harengs, environ 3 minutes de chaque côté, jusqu'à ce qu'ils prennent une belle couleur dorée. Servir accompagné de riz et de légumes.

MAQUEREAU FRIT

SABA NO TASUTA-AGE

Le maquereau constitue l'un des piliers de la gastronomie japonaise et se prépare de nombreuses façons. La cuisson *agemono*, ou friture, donne à sa chair la consistance d'un steak.

INGRÉDIENTS

1 maquereau de 450 g, évidé et étêté
1 cuil. à soupe de sauce de soja
½ cuil. à soupe de saké
½ piment frais, épépiné et finement émincé
1 cm de gingembre frais, rapé
2 à 3 cuil. à soupe de Maïzena
Huile végétale pour la friture

❶ Couper le maquereau en deux en passant la lame à ras de la grande arête d'un côté puis de l'autre, afin d'obtenir 2 filets. Ôter le plus d'arêtes possible sans abîmer la chair (utiliser une pince à épiler). Couper les deux filets en 3 morceaux.

❷ Mettre la sauce de soja, le saké, le piment et le gingembre dans un plat et y faire mariner le poisson pendant 20 minutes. Essuyer le poisson avec du papier absorbant pour enlever tout excès d'humidité.

❸ Tremper les filets dans la Maïzena. Faire chauffer l'huile à 180 °C et y plonger les morceaux de poisson, pendant environ 4 minutes. Servir accompagné de légumes sautés et arroser de sauce de soja.

TRUITE SALÉE GRILLÉE

MASU NO SHIO-YAKI

L'une des manières les plus simples de préparer un poisson est de le faire griller. Choisissez une truite aussi fraîche que possible pour obtenir le meilleur de ce plat.

INGRÉDIENTS

2 truites moyennes, évidées

1 cuil. à café de sel

Sauce de soja pour servir

❶ Faire 3 entailles de chaque côté des poissons, les placer sur la grille du four et les saupoudrer de sel sur les deux faces.

❷ Faire griller de chaque côté 5 à 6 minutes, jusqu'à ce que les poissons dorent (le temps de cuisson dépend de leur taille). Lorsque les truites sont prêtes, les disposer sur une assiette et arroser de sauce de soja. Servir avec du riz et des légumes.

MAQUEREAU MIJOTÉ à la sauce miso

SABA NO MISO-NI

Ce plat se prépare souvent en automne, époque, dit-on, où le *saba* (maquereau) est le plus savoureux. Les arêtes sont conservées afin de rehausser le goût du poisson.

INGRÉDIENTS

1 maquereau de 450 g, évidé et étêté

POUR LA SAUCE

100 ml d'eau
2 cuil. à soupe de sucre en poudre
1 cuil. à soupe de saké
50 g de miso
1 fine tranche de gingembre frais, épluché
2 oignons de printemps, coupés en deux

❶ Couper le maquereau en deux en passant la lame au ras de la grande arête, afin d'obtenir un morceau avec arête et l'autre sans. Couper à nouveau chaque morceau en deux.

❷ Mettre l'eau, le sucre, le saké et le *miso* dans une casserole. Porter à frémissement. Ajouter le poisson et le gingembre. Cuire à feu doux pendant 7 à 8 minutes en posant, directement sur les poissons, un couvercle légèrement plus petit que le récipient. À défaut, utiliser du papier aluminium.

❸ Ajouter les oignons de printemps et laisser mijoter 5 à 10 minutes. Servir aussitôt avec du riz et un plat de légumes.

CALMAR MIJOTÉ au daikon

DAIKON TO IKA NO UMA-NI

La saveur de ce plat provient du goût subtil du calmar associé au *daikon* frais. Celui-ci se trouve facilement dans les épiceries japonaises. À défaut, utilisez du radis noir.

INGRÉDIENTS

1 calmar de 300 g
300 g de daikon épluché, coupé en deux dans le sens de la longueur, puis en morceaux de 1 cm de large
50 ml de saké
40 ml de sauce de soja
100 ml d'eau

❶ Séparer la tête et les tentacules du corps du calmar, puis retirer l'arête centrale transparente. Nettoyer la cavité intérieure. Ôter la peau et séparer la tête des tentacules.

❷ Couper le corps et les bras du calmar en morceaux de 1 cm et les blanchir à l'eau bouillante. Mettre le *daikon* dans une casserole et couvrir d'eau froide. Porter à ébullition et cuire à feu doux pendant 6 minutes environ, jusqu'à ce qu'il soit presque transparent. Égoutter.

❸ Mettre le saké à chauffer dans une casserole avec la sauce de soja. À ébullition, ajouter le calmar et cuire à feu doux pendant 4 minutes environ. Retirer le calmar à l'aide d'une écumoire et réserver.

❹ Mettre les 100 ml d'eau et le daikon égoutté dans la casserole. Couvrir et laisser cuire pendant 7 minutes. Ajouter le calmar et prolonger la cuisson 3 à 4 minutes. Servir accompagné de riz et de légumes.

AUBERGINES FRITES et poivron vert à la sauce miso sucrée

NASU NO NABE-SHIGI

Au Japon, l'automne annonce l'arrivée des aubergines : les étals croulent sous les différentes variétés disponibles. Si les aubergines japonaises présentent des longueurs diverses, elles n'atteignent pas le diamètre de celles cultivées en Europe.

INGRÉDIENTS

2 cuil. à soupe d'huile de sésame

1 oignon moyen, épluché et coupé en gros dés

*200 g d'aubergine, coupée en gros dés,
mis à tremper dans de l'eau*

½ poivron vert, coupé en gros dés

POUR LA SAUCE *MISO* SUCRÉE

40 g de miso

2 cuil. à soupe de sucre en poudre

2 cuil. à soupe d'eau

2 cuil. à soupe de mirin

❶ Faire chauffer 1 cuillerée à soupe d'huile de sésame dans une casserole. Faire revenir l'oignon pendant 3 à 4 minutes. Ajouter le reste de l'huile et l'aubergine. Prolonger la cuisson pendant 3 à 4 minutes. Ajouter le poivron vert et cuire à feu vif jusqu'à ce que l'aubergine devienne tendre.

❷ Mélanger le *miso*, le sucre, l'eau et le *mirin* dans un bol. Verser dans la casserole. Remuer pendant 1 à 2 minutes. Servir chaud, en accompagnement.

ÉPINARDS et miettes de bonite à la sauce de soja

HOURENSO NO O-HITASHI

C e plat savoureux et nutritif exige des épinards frais. Prenez soin de ne pas trop les cuire, car ils perdraient toutes leurs vitamines.

INGRÉDIENTS

225 g de feuilles d'épinards, lavées
et égouttées

Une grande pincée de miettes de bonite

2 à 3 cuil. à soupe de sauce de soja

Une pincée de sel

❶ Faire bouillir les épinards dans de l'eau salée pendant 2 minutes environ, jusqu'à ce qu'ils soient légèrement cuits.

❷ Égoutter et passer aussitôt sous l'eau froide pour éviter qu'ils ne perdent leur couleur.

❸ En tenant les feuilles par la tige comme un bouquet, les presser pour en évacuer l'eau.

❹ Couper le bouquet d'épinards en morceaux de 2,5 cm de longueur. Placer les feuilles dans un petit plat ou un bol et les saupoudrer de miettes de bonite. Arroser de sauce de soja et servir en accompagnement.

PATATES DOUCES BRAISÉES

SATSUMA-IMO NO AMA-NI

Les patates douces sont l'un des aliments traditionnels favoris des Japonais, qui en consomment toute l'année. Ce plat très simple fait ressortir toute la subtilité de leur saveur sucrée.

INGRÉDIENTS

350 g de patates douces, coupées en rondelles de 1 cm
200 ml d'eau
1 cuil. à soupe de sucre en poudre
1 cuil. à café de sauce de soja
Une pincée de sel

❶ À l'aide d'un couteau, couper en biais les extrémités des patates douces. Ainsi, elles ne se déliteront pas à la cuisson.

❷ Mettre les patates, l'eau, le sel, le sucre et la sauce de soja dans une grande casserole, en s'assurant que les morceaux de patates reposent à plat au fond. Porter à ébullition. Couvrir puis laisser cuire à feu doux pendant 10 à 15 minutes — jusqu'à ce que les patates soient tendres —, en ôtant le couvercle pendant les 5 dernières minutes ; souvenez-vous que le temps de cuisson dépend du type de patates douces. Servir en accompagnement.

CHOU MIJOTÉ au bacon

CABETSU TO BECON NO NI-BITASHI

Le chou japonais est plus tendre que celui disponible en Europe. Pour ce plat, nous vous conseillons donc de n'utiliser que les feuilles internes du chou, plus souples, et de garder les feuilles externes pour une autre recette. Évitez les choux frisés en raison de leur goût particulier. Prenez soin également de ne pas trop cuire le légume pour qu'il conserve tout son croquant.

INGRÉDIENTS

185 g de feuilles de chou, coupées en carrés de 2,5 cm
2 tranches de bacon non fumé, coupé en morceaux de 2,5 cm de long
250 ml de dashi (voir p. 13)
2 cuil à café de sauce de soja
2 cuil. à café d'huile végétale

❶ Faire chauffer l'huile dans une casserole puis faire revenir le bacon à feu doux jusqu'à cuisson complète.

❷ Ajouter le chou et cuire à feu vif en remuant pendant 2 minutes.

❸ Ajouter le *dashi* et la sauce de soja. Couvrir et laisser mijoter pendant 10 minutes, jusqu'à ce que le chou soit devenu tendre. Remuer de temps en temps. Servir comme accompagnement.

MANGE-TOUT SAUTÉS au corned-beef

SAYA-INGEN TO CORNBEEF NO ITAME-MONO

On dit souvent que les Japonais constituent un peuple novateur. Ce plat illustre à merveille l'aptitude nippone à détourner une influence étrangère pour l'intégrer à sa culture. Les pois mange-tout doivent rester fermes : prenez garde de ne pas trop les cuire. Quant au corned-beef, vous pouvez le remplacer par de la viande de bœuf hachée.

INGRÉDIENTS

150 g de pois mange-tout, rincés et équeutés
1 cuil. à soupe d'huile végétale
100 g de corned-beef
1 cuil. à café de sauce de soja
Sel et poivre fraîchement moulu

❶ Plonger les pois mange-tout dans de l'eau bouillante salée pendant 3 minutes. Égoutter.

❷ Faire chauffer l'huile dans une poêle. Ajouter le corned-beef et faire frire à feu moyen en remuant pendant 5 minutes.

❸ Ajouter les pois mange-tout. Saupoudrer de sel et de poivre, et cuire en remuant pendant 5 minutes. Arroser de sauce de soja. Servir chaud en accompagnement.

CHOU CHINOIS et coques à la sauce moutarde et au soja

HAKUSAI TO TORI-GAI NO KARASHI-JOYU AE

Les coques ne sont pas très répandues au Japon, où l'on utilise plus couramment des palourdes pour ce plat. Pourtant, les coques s'associent à merveille aux autres ingrédients et se révèlent plus économiques. Vous pouvez les choisir fraîches, en bocal ou en conserve.

INGRÉDIENTS

150 g de chou chinois
4 oignons de printemps
½ cuil. à soupe de sauce de soja
1 cuil. à café de moutarde
1 cuil. à café de mirin
90 g de coques, égouttées

❶ Mettre de l'eau à bouillir dans une casserole et y plonger le chou chinois pendant 3 minutes. Ajouter les oignons et laisser bouillir encore 2 minutes. Égoutter et rincer rapidement à l'eau froide. Presser pour évacuer l'excès d'eau. Couper en morceaux de 2,5 cm de long.

❷ Mélanger la sauce de soja, la moutarde et le mirin dans un grand bol. Ajouter le chou chinois, les oignons et les coques. Mélanger le tout. Servir en accompagnement ou en hors-d'œuvre.

HARICOTS VERTS au sésame

INGEN NO GOMA-AE

Au Japon, le sésame est réputé pour être un aliment sain. Les graines blanches ou noires sont couramment utilisées en cuisine. Pour les faire griller, il suffit de les passer à la poêle sans graisse tout en remuant jusqu'à ce qu'elles gonflent. Elles libèrent alors tout leur arôme.

INGRÉDIENTS

175 g de haricots verts entiers surgelés
Une pincée de sel

POUR L'ASSAISONNEMENT

1 cuil. à soupe de graines de sésame grillées
1 cuil. à soupe de sucre en poudre
⅔ de cuil. à soupe de dashi (voir p. 13)
½ cuil. à soupe de miso
1 cuil. à soupe de sauce de soja

❶ Faire bouillir les haricots dans une casserole pendant 5 minutes, jusqu'à ce qu'ils soient tendres.

❷ Écraser les graines de sésame au pilon ou les moudre. Ajouter le sucre, le *dashi*, le *miso* et la sauce de soja. Bien mélanger.

❸ Assaisonner les haricots verts avec cette préparation et servir en accompagnement.

LÉGUMES VARIÉS mijotés

YASAI NO NIMONO

Bien que n'étant pas un aliment de base pour les Japonais, la pomme de terre est couramment utilisée en cuisine. Coupée en dés, elle est souvent associée à d'autres légumes, comme dans le plat que nous vous présentons ici.

INGRÉDIENTS

200 ml de dashi (voir p. 13)
100 g de carottes, épluchées et coupées en dés irréguliers
225 g de pommes de terre, épluchées et coupées en gros dés
1 oignon moyen, émincé
2 cuil. à soupe de sucre en poudre
½ cuil. à café de mirin
1 cuil. à soupe de sauce de soja
50 g de haricots verts surgelés, coupés en deux
Une pincée de sel

❶ Mettre le *dashi*, les carottes et les pommes de terre dans une casserole. Porter à ébullition et cuire à feu doux pendant 5 minutes.

❷ Ajouter l'oignon, le sucre, le *mirin*, le sel et la sauce de soja. Prolonger la cuisson pendant 5 minutes.

❸ Ajouter les haricots et laisser cuire encore 4 minutes. Servir chaud, en accompagnement.

SALADE DE LA MER à la sauce ponzu

KANI KAMOBOKO IRI SALADA

Le *ponzu* sert aussi bien de sauce pour les légumes cuits (voir la recette de la marmite de cabillaud au chou chinois page 72) que d'assaisonnement léger et relevé pour les salades. Dans tous les cas, c'est un accompagnement savoureux.

INGRÉDIENTS

2 branches de céleri
1 morceau de concombre de 7,5 cm
90 g de carottes, épluchées
50 g de haricots verts entiers surgelés
5 bâtons de surimi
1 dose d'assaisonnement ponzu (voir p. 72)
Une pincée de sel

❶ Émincer le céleri, le concombre et les carottes dans le sens de la longueur puis les couper en allumettes (voir page 9 pour plus de détails).

❷ Plonger les haricots verts dans de l'eau bouillante salée pendant 4 à 5 minutes. Rincer à l'eau froide, égoutter et couper en deux.

❸ Mélanger les légumes dans une assiette ou un bol. Émietter les bâtons de *surimi* avec les doigts pour en garnir la salade. Assaisonner de *ponzu* juste avant de servir.

TEMPURA

On ne présente plus la *tempura*, l'un des plats les plus célèbres de la gastronomie japonaise. Ironie de l'histoire, ce plat aurait été introduit au Japon par des négociants portugais au XVIIe siècle. L'un de ses atouts est qu'il peut se réaliser avec la plupart des fruits de mer et des légumes. Les ingrédients proposés ici figurent parmi les plus courants au Japon. Prenez soin de préparer d'abord la sauce afin que les *tempura* puissent être dégustées aussitôt frites.

INGRÉDIENTS	POUR LA PÂTE
½ poivron vert, épépiné et coupé en quatre dans le sens de la longueur	105 g de farine
4 champignons shitake	35 g de Maïzena
200 g de patates douces, non épluchées mais coupées en rondelles	1 œuf battu
100 g de carottes, épluchées et coupées en longueur, puis en allumettes	250 ml d'eau
	POUR LA SAUCE
4 grosses crevettes, épluchées sans enlever la queue	2 cuil. à soupe de mirin
Huile végétale de friture	2 cuil. à soupe de sauce de soja
Un peu de farine	250 ml de dashi (voir p. 13)
1 petit daikon, épluché et râpé	

❶ Préparer la sauce : mettre le *mirin*, la sauce de soja et le *dashi* dans une casserole. Porter à ébullition et cuire à feu doux pendant 1 minute. Laisser refroidir.

❷ Préparer la pâte : mettre la farine, la Maïzena, l'œuf et l'eau dans un bol. Mélanger légèrement à l'aide de baguettes ou d'une fourchette. La pâte doit rester grumeleuse et laisser apparaître de la farine à la surface.

❸ Dans une casserole, faire chauffer l'huile à 180 °C. Pour vérifier la température, laisser tomber une goutte de pâte dans l'huile. Si elle remonte à la surface en bouillonnant, l'huile est prête.

❹ Tremper les légumes dans la pâte et les plonger dans l'huile jusqu'à ce que la pâte soit bien dorée. S'assurer que les légumes plus fermes — tels que les patates douces — sont cuits, en y enfonçant un couteau pointu : il doit pénétrer facilement dans la chair. Pour les carottes, prendre plusieurs allumettes d'un coup, les tremper dans la pâte et les faire frire en paquets.

❺ Rouler légèrement les crevettes dans la farine avant de les tremper dans la pâte, pour éviter qu'elles n'éclatent. Quand tous les ingrédients sont frits, servir immédiatement. Répartir la sauce dans de petits bols placés au centre de l'assiette, y ajouter 1 cuillerée à café de *daikon* râpé. Tremper les morceaux de *tempura* dans la sauce avant de les déguster. Veiller à remplir les bols de sauce et de *daikon* râpé durant le repas.

副菜

OMELETTE À LA JAPONAISE

TAMAGO-YAKI

Souvent servie au petit déjeuner, la *tamago-yaki* demande un peu plus d'habileté et de patience qu'une omelette occidentale, mais le résultat vaut ce petit effort supplémentaire. Il est indispensable d'utiliser une poêle au revêtement antiadhésif pour réussir ce plat savoureux.

INGRÉDIENTS

2 œufs
½ cuil. à soupe de sucre en poudre
½ cuil. à soupe de sauce de soja
½ cuil. à soupe de dashi (voir p. 13)
Huile végétale
Une pincée de sel

❶ Casser les œufs dans un bol. Ajouter le sucre, la sauce de soja, le *dashi* et le sel. Bien mélanger. Faire chauffer un peu d'huile à feu doux dans une poêle antiadhésive. Verser un quart du mélange dans la poêle.

❷ Juste avant que la surface du mélange ne devienne ferme, rabattre le bord et rouler l'omelette sur elle-même. La réserver au bord de la poêle.

❸ En soulevant l'omelette roulée à l'aide de baguettes, verser un deuxième quart du mélange dans la poêle, de sorte qu'il s'étale jusque sous l'omelette déjà cuite.

❹ À nouveau, avant que le mélange ne raffermisse, le rouler autour de l'omelette déjà formée et réserver de l'autre côté de la poêle. Répéter l'opération pour les deux quarts restants. Laisser refroidir et couper l'omelette en tranches de 2,5 cm de large. S'il est servi en accompagnement, arroser ce plat de sauce de soja.

副菜

AVOCAT aux feuilles d'algues

AVOCADO TO NORI

Sans être un aliment traditionnel de la cuisine japonaise, l'avocat est très apprécié au Japon. Cet engouement serait dû à la similitude de goût entre l'avocat et le thon cru, utilisé dans les sushi et les *sashimi*. N'hésitez pas à incorporer du *wasabi* en poudre, la « moutarde verte » japonaise, pour relever la sauce de soja proposée ici en assaisonnement.

INGRÉDIENTS

1 avocat

2 feuilles de nori (algues) séchées

2 cuil. à café de sauce de soja

1 cuil à café de wasabi (facultatif)

❶ Couper l'avocat en deux et ôter le noyau. Éplucher. Couper à nouveau en deux puis en tranches de 1 cm de large.

❷ Couper les feuilles de *nori* en bandes et en entourer les morceaux d'avocat.

❸ Verser la sauce de soja dans un petit plat. Incorporer le *wasabi*. Tremper l'avocat dans la sauce avant de déguster.

CHOU SALÉ au concombre

CABETSU TO KYUURI NO SHIO-MOMI

Ce plat très rapide à réaliser accompagne divinement un bol de riz blanc bien chaud. Utilisez un couteau bien aiguisé pour le concombre.

INGRÉDIENTS

100 g de feuilles de chou vert, des feuilles intérieures de préférence

4 cm de concombre, coupé en deux dans le sens de la longueur

1 petit piment rouge, épépiné et finement émincé

1 cuil. à café de sel

❶ Enlever les tiges des feuilles de chou. Couper les feuilles dans le sens de la longueur avant de les découper en morceaux de 1 cm de large. Couper les deux moitiés du concombre en tranches aussi fines que possible.

❷ Mettre le chou et le concombre dans un bol et saupoudrer de sel. Laisser dégorger pendant 30 minutes. Presser les légumes à la main pour enlever l'excédent d'eau.

❸ Ajouter le piment. Bien mélanger. Mettre de côté pendant 5 minutes.

❹ Arroser de sauce de soja juste avant de servir.

NAVETS SALÉS *au citron*

KABU NO SOKUSEKI-ZUKE

Ce plat fait partie des nombreux *tsukemono* japonais, ou pickles. Pour le réussir, choisissez des navets très frais.

INGRÉDIENTS

200 g de navets épluchés, coupés en deux et finement émincés
3 rondelles de citron, coupées en quartiers
1 cuil. à café de sauce de soja
1 cuil. à café de sel

❶ Disposer les navets dans un bol, saupoudrer de sel et laisser dégorger pendant 20 à 30 minutes.

❷ Frotter les navets jusqu'à les ramollir, puis les presser pour enlever l'excédent d'eau.

❸ Ajouter les quartiers de citron. Arroser de sauce de soja. Servir en accompagnement.

ALGUES HIJIKI MIJOTÉES

HIJIKI NO NIMONO

L'*hijiki* est l'un des nombreux types d'algues utilisés dans la cuisine japonaise. Aliment très sain, il renferme notamment du calcium, de l'iode et de la vitamine B$_{12}$.

INGRÉDIENTS

20 g d'hijiki (algue séchée)
½ feuille d'abura-age (tofu frit)
50 g de carottes, épluchées et coupées en petites allumettes
2 cuil. à café d'huile végétale
250 ml de dashi (voir p. 13)
1 cuil. à soupe ½ de sucre en poudre
1 cuil. à soupe ½ de sauce de soja
1 cuil. à soupe de mirin

❶ Rincer l'*hijiki* et le mettre à tremper dans un bol d'eau pendant 20 à 30 minutes. Rincer puis égoutter. Il doit avoir atteint six à sept fois sa taille d'origine.

❷ Rincer l'*abura-age* à l'eau chaude puis le couper en lamelles de la même longueur que les carottes.

❸ Faire chauffer l'huile dans une casserole. Faire revenir l'*hijiki*, l'abura-age et les carottes à feu vif pendant 1 minute.

❹ Ajouter le *dashi*, le sucre, la sauce de soja et le *mirin*. Cuire à feu doux sans couvrir pendant 25 minutes environ, ou jusqu'à ce que le liquide soit presque évaporé. Servir en accompagnement. Les restes se conservent 3 à 4 jours au réfrigérateur.

副菜

GRAINES DE SOJA BRAISÉES

DAIZU NO AMA-NI

Le soja est l'aliment le plus couramment utilisé dans la cuisine japonaise. Il constitue la base de la sauce de soja, du tofu et du *miso*. Les graines de soja sont riches en nutriments et en fibres. Au Japon, on les appelle « viande de la terre ».

INGRÉDIENTS

3 champignons shitake séchés
7,5 cm d'algue séchée, tamponnée avec un linge humide
420 g de graines de soja en conserve, égouttées
50 g de carottes, épluchées et coupées en dés
2 cuil. à soupe de sucre en poudre
1 cuil. à soupe ½ de sauce de soja

❶ Mettre les champignons shitake et l'algue à tremper dans 200 ml d'eau pendant 30 minutes. Réserver l'eau. Couper les shitake en dés et l'algue en petits morceaux.

❷ Mettre l'algue, les champignons et l'eau dans une casserole. Ajouter les graines de soja, les carottes, 100 ml supplémentaires d'eau et le sucre. Porter à ébullition et laisser cuire sans couvrir pendant 15 minutes.

❸ Ajouter la sauce de soja et prolonger la cuisson pendant 10 minutes. Servir en accompagnement. Les restes se conservent une semaine au réfrigérateur.

CONCOMBRE ET WAKAME

à la sauce aigre-douce

KYUURI TO WAKAME NO SANBAI-ZU

Bien que froid, ce plat n'est pas considéré comme une salade au Japon. Si vous n'arrivez pas à vous procurer du vinaigre de riz, remplacez-le par du vinaigre de vin.

INGRÉDIENTS

200 g de concombre, coupé en deux dans le sens de la longueur, puis en tranches très fines

1 cuil. à café de sel

½ cuil. à soupe de wakame séché, gonflé dans de l'eau chaude pendant quelques minutes

POUR LA SAUCE AIGRE-DOUCE

5 cuil. à café de vinaigre de riz (su)

½ cuil. à soupe de sucre en poudre

½ cuil. à café de sauce de soja

❶ Mettre le concombre dans un bol, saupoudrer de sel et laisser dégorger 15 minutes.

❷ Prendre le concombre à pleine main et le presser pour évacuer le plus de liquide possible. Faire de même pour le *wakame*.

❸ Mélanger le sucre, le vinaigre et la sauce de soja dans un petit bol.

❹ Juste avant de servir, verser la sauce sur le concombre et le *wakame*. Servir en accompagnement.

RIZ GLUANT POUR SUSHI

SUSHI YO GOHAN

Voici la recette de base du riz gluant parfumé au vinaigre à partir duquel se confectionnent toutes les variétés de sushi. Il est indispensable de se procurer du riz japonais à grain court. Pour un verre de riz, compter un verre et demi d'eau.

INGRÉDIENTS

165 g de riz japonais à grain court
2,5 cm de konbu
250 ml d'eau

POUR LE SUSHI-ZU

1 cuil. à soupe ½ de vinaigre de riz
1 cuil. à soupe de sucre en poudre
½ cuil. à café de sel

❶ Mettre le riz dans un récipient et le rincer plusieurs fois jusqu'à ce que l'eau devienne presque claire. Laisser reposer le riz dans une passoire pendant 30 minutes, afin que les grains commencent à absorber l'eau restée dans la passoire. Verser les 250 ml d'eau et le riz dans une casserole. Ajouter le konbu. Lorsque l'eau frémit, retirer l'algue. Porter à ébullition puis laisser cuire à feu doux pendant 10 minutes environ (le temps de cuisson dépend de la quantité de riz).

❷ Goûter le riz pour s'assurer qu'il est cuit. Éteindre le feu et laisser reposer 10 minutes. Mélanger le vinaigre, le sucre et le sel dans un bol. Mettre le riz dans un saladier. Mouiller une cuillère en bois et incorporer le sushi-zu progressivement en « coupant » le riz (sans le remuer ni l'écraser) à l'aide de la cuillère, pour faire pénétrer la sauce. Le riz libère alors le parfum particulier du sushi-zu. Laisser refroidir avant utilisation.

SUSHI MAISON

TEMAKI-ZUSHI

Variante moderne et populaire du sushi, le *temaki-zushi* apporte une agréable note d'originalité aux dîners entre amis.

INGRÉDIENTS

1 portion de riz pour sushi (voir p. 60)
5 feuilles de nori, coupées en 4
5 lamelles de concombre, coupées en diagonale puis en longs bâtonnets
¼ d'avocat, émincé
1 filet de rollmops, coupé en tranches
1 botte de cresson
Sauce de soja

POUR FARCIR LES SUSHI

90 g de thon en saumure
1 cuil. à soupe de mayonnaise

POUR L'OMELETTE

1 œuf
1 cuil. à café de sucre en poudre
Une pincée de sel
2 cuil. à café d'huile végétale pour la friture

❶ Préparer les farces des sushi : égoutter le thon et le mélanger à la mayonnaise. Confectionner une omelette à la japonaise (voir page 52) ; après l'avoir laissé refroidir, la couper en morceaux dans le sens de la longueur. Disposer tous les ingrédients sur une grande assiette. Le riz est présenté dans un plat à part, tout comme les feuilles de *nori*.

❷ Chaque convive prend, avec les doigts, un morceau de *nori*. Il y étale en couche assez fine 1 cuillerée à soupe environ de riz.

❸ Ensuite, se servir d'un ou de plusieurs ingrédients à l'aide des baguettes et les disposer au centre de son *nori*. Enfin, rouler le *nori* en cornet, le tremper dans la sauce de soja disposée dans un petit bol individuel et déguster.

PETITS ROULEAUX au concombre et au radis takuwan

HOSO-MAKI ZUSHI : KAPPA-MAKI ET TAKUWAN-MAKI

Les *kappa-maki*, ou rouleaux au concombre, sont confectionnés à partir de fines lamelles de concombre coupées en longueur. Le *takuwan*, du radis japonais géant *(daikon)* séché puis mariné, constitue la base des *takuwan-maki*. Ces deux *hoso-maki* pourraient s'appeler des sushi maison : au Japon, plutôt que d'aller les acheter chez un traiteur, on les prépare volontiers soi-même.

INGRÉDIENTS

1 portion de riz pour sushi (voir p. 60)
2 feuilles ½ de nori, coupées en deux
1 concombre
2 allumettes de takuwan (daikon séché mariné) de 5 mm x 19 cm
2 cuil. ½ à café de graines de sésame grillées
Un peu de wasabi (facultatif)

❶ Découper 3 morceaux de concombre de 5 mm x 19 cm.

❷ Disposer le *nori* sur une natte à sushi ou une planche à découper recouverte de cellophane. Étaler le riz sur toute la surface du *nori* en laissant une bordure externe vierge de 1,5 cm. Éventuellement, recouvrir le riz du bout du doigt d'une fine couche de moutarde *wasabi*.

❸ Disposer les allumettes de concombre sur le riz et y répartir ½ cuillerée à café de graines de sésame grillées.

❹ Rouler la natte à sushi et former un cylindre. Le *nori* se scellera grâce à l'humidité du riz. De la même façon, préparer 2 autres *hoso-maki* de concombre et 2 de *takuwan*. Couper chaque rouleau en 5 morceaux à l'aide d'un couteau trempé dans un mélange d'eau et de vinaigre.

À l'aide d'un couteau tranchant, couper un bâtonnet de 1 cm d'épaisseur sur toute la longueur du concombre. Puis recouper ce morceau en trois, toujours dans le sens de la longueur, afin d'obtenir de longues allumettes de dimensions à peu près égales. Faire de même pour le takuwan.

GRANDS SUSHI

FUTO-MAKI ZUSHI

On pense généralement que la confection des *futo-maki* exige non seulement de l'habileté mais de l'expérience. En réalité le coup de main s'acquiert assez rapidement. Une fois passé maître dans cet art, attendez-vous à un franc succès !

INGRÉDIENTS

1 portion de riz pour sushi (voir p. 60)
3 champignons shitake séchés, rincés et mis à tremper dans 50 ml d'eau
1 cuil. à café de sucre en poudre
1 cuil. à soupe de sauce de soja
2 feuilles de nori
6 bâtons de surimi
1 botte de cresson

POUR L'OMELETTE

1 œuf battu
1 cuil. à café de sucre en poudre
Une pincée de sel
Huile végétale pour la friture

❶ Préparer la farce des sushi : émincer les champignons et les mettre dans une casserole avec l'eau de trempage, le sucre et la sauce de soja. Porter à ébullition. Cuire à feu doux pendant 5 minutes. Préparer l'omelette : mettre le sucre, le sel et l'œuf battu dans un bol et mélanger. Faire chauffer l'huile dans une poêle et suivre les indications page 52. Laisser refroidir l'omelette, et la couper en trois dans le sens de la longueur.

❷ Disposer la feuille de *nori* bien à plat sur une natte à sushi ou une planche à découper recouverte de cellophane. Étaler le riz sur la feuille en laissant une bordure externe vierge de 2,5 cm.

❸ Disposer ensuite sur le riz, dans l'ordre, la moitié de l'omelette, des champignons, des bâtons de surimi et du cresson en lignes successives, en laissant une étroite bande de riz nature entre chaque ingrédient.

❹ En tenant l'omelette pour qu'elle reste en place, rouler la feuille de *nori* d'une seule traite en partant du bord placé vers vous, de façon à ce qu'elle enveloppe tous les ingrédients. Avec les doigts, insérer ce même bord à l'intérieur du bord externe. Puis rouler la natte jusqu'à ce que les deux bords du rouleau soient placés dessous.

❺ Saisir la partie éloignée de la natte de la main droite et tenir le rouleau de la main gauche. Tirer fermement le rouleau vers vous afin de bien sceller le *futo-maki*. Puis aligner les bords de la natte en tapotant doucement les côtés. Dérouler lentement la natte pour découvrir le *futo-maki* terminé à l'intérieur. Répéter l'opération avec le reste des ingrédients.

Couper les rouleaux en morceaux de l'épaisseur du pouce à l'aide d'un couteau trempé dans de l'eau vinaigrée, afin d'éviter que le riz ne colle à la lame. Servir les sushi disposés sur une grande assiette. Tremper le *futo-maki* dans de la sauce de soja répartie dans des bols individuels avant de les déguster.

SUSHI AUX ŒUFS DE SAUMON

IKURA-ZUSHI

Les œufs de saumon sont une denrée un peu chère mais très appréciée au Japon. Ce plat fournit un hors-d'œuvre de qualité, mais vous pouvez aussi servir des *ikura-zushi* en accompagnement de rouleaux de sushi ou d'*inari-zushi*.

INGRÉDIENTS

4 cuil. à soupe de riz pour sushi cuit (voir p. 60)
4 bandes de nori, de 3,5 x 12,5 cm
2 rondelles de concombres, coupées en deux
4 cuil. à café d'œufs de saumon

❶ S'humidifier la paume avec un peu d'eau. Prendre une cuillerée à soupe de riz et former une boulette carrée. Faire de même avec le reste du riz, de façon à obtenir 4 boulettes.

❷ Placer chaque boulette au milieu d'une bande de *nori*. Enrouler le *nori* autour du riz et disposer sur un plat.

❸ Recouvrir chaque boulette de riz d'une rondelle de concombre, puis d'une cuillerée à café d'œufs de saumon. Servir arrosé de sauce de soja.

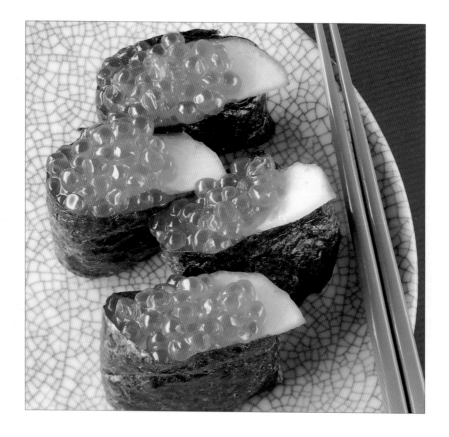

SUSHI AU TOFU FRIT

INARI-ZUSHI

C es chaussons de riz au goût sucré peuvent se déguster avec d'autres variétés de sushi ou constituer un en-cas savoureux et nourrissant. Au Japon, on les prépare souvent en vue d'un pique-nique ou d'un déjeuner sur son lieu de travail. Pour le riz, reportez-vous aux instructions de préparation du riz pour sushi.

INGRÉDIENTS

½ portion de riz pour sushi (voir p. 60)

2 feuilles d'abura-age

120 ml de dashi (voir p. 13)

1 cuil. à soupe ½ de sucre en poudre

1 cuil. à soupe de mirin

2 cuil. à café de sauce de soja

1 cuil. à café de graines de sésame grillées

❶ Rouler délicatement les abura-age à l'aide de baguettes. Les placer dans une passoire et les rincer à l'eau chaude. Les couper en deux et les ouvrir doucement comme un livre. Mettre le dashi, le mirin, la sauce de soja et les abura-age dans une casserole.

❷ Porter à ébullition et cuire à feu doux pendant environ 20 minutes, ou jusqu'à ce que le liquide soit presque complètement évaporé. Confectionner un petit couvercle avec du papier aluminium et le placer sur les abura-age. Prolonger la cuisson jusqu'à complète évaporation du liquide.

❸ Retirer les abura-age et les laisser sécher sur une assiette ou une planche à découper.

❹ Mélanger le riz pour sushi avec les graines de sésame. Partager en quatre parts égales. Remplir chaque abura-age de riz et refermer pour former un chausson.

BOULETTES DE RIZ JAPONAISES

ONIGIRI

Les *onigiri* sont simples à préparer et se picorent à n'importe quel moment d'un pique-nique ou d'un dîner. Le terme de boulette est un peu usurpé puisque ces en-cas ont plutôt la forme d'un triangle.

L'utilisation de riz japonais, très collant, est vivement conseillée.

INGRÉDIENTS

165 g de riz japonais à grain court rincé avec soin
Une petite quantité de miettes de bonite
¼ de cuil. à soupe de sauce de soja
1 prune japonaise marinée (ume-boshi), épépinée et coupée en deux
4 bandes de nori de 5 x 15 cm

❶ Rincer le riz jusqu'à ce que l'eau soit presque claire.

❷ Cuire le riz à la manière du riz pour sushi (voir page 60), mais sans ajouter le *sushi-zu*.

❸ Laisser refroidir le riz. Mélanger les miettes de bonite avec la sauce de soja dans un petit bol, afin d'obtenir une pâte.

❹ S'humidifier la paume avec un peu d'eau et saupoudrer de sel (opération à répéter pour chaque nouvelle boulette). Prendre 3 cuillerées à soupe de riz et former une boulette de manière rapide et légère.

❺ Percer un petit trou dans la boulette de riz et y placer soit la moitié de la pâte de bonite, soit la moitié de la prune.

❻ Reboucher le trou tout en donnant une forme à peu près triangulaire à la boulette de riz.

❼ Après avoir confectionné les 4 boulettes, les envelopper d'une feuille de *nori*.

RIZ MÉLANGÉ

MAZE GOHAN

Le riz mélangé à la japonaise est facile à préparer et peut être aussi bien servi en plat principal avec une soupe et une salade, qu'en accompagnement d'autres plats.

INGRÉDIENTS

165 g de riz japonais à grain court	*1 cuil. à soupe de sucre*
50 g de carottes, épluchées et coupées en petites allumettes	*1 cuil. à soupe ½ de sauce de soja*
3 champignons shitake, coupés en allumettes	*3 haricots mange-tout*
½ feuille d'abura-age, rincée à l'eau chaude et coupée en petites allumettes	*1 œuf*
	½ cuil. à soupe d'eau
Un morceau de koya dofu (tofu lyophilisé) de 1,5 cm, mis à tremper dans l'eau pendant 5 minutes, puis coupé en allumettes	*Une pincée de sel*
	Huile végétale pour la friture
135 ml de dashi (voir p. 13)	*2 radis rouges, émincés et 4 bandes de nori pour la garniture*

❶ Préparer du riz pour sushi en suivant la recette page 60.

❷ Mettre les carottes, les champignons, *l'abura-age*, le *tofu*, le *dashi*, le sucre et la sauce de soja dans une casserole. Porter à ébullition et cuire à feu doux pendant 15 minutes.

❸ Pendant ce temps, blanchir les haricots dans de l'eau salée durant 3 minutes. Retirer les légumes du feu et les couper en fines lamelles, en diagonale.

❹ Dans un bol, mélanger l'œuf, l'eau et le sel. Faire chauffer l'huile dans une poêle et faire deux omelettes très fines. Laisser refroidir. Les couper en tranches fines.

❺ Lorsque les légumes sont cuits, mélanger les ingrédients avec le riz. Disposer le riz dans une grande assiette. Ajouter l'omelette et les haricots et décorer de radis et de *nori*.

RIZ AU POULET et à l'œuf

OYAKO-DON

Au Japon, ce plat est surnommé « riz à la mère et l'enfant ». En suivant cette méthode de préparation, le poulet reste tendre et savoureux jusqu'au moment de servir. On peut également utiliser du riz long.

INGRÉDIENTS

165 g de riz à grain court
150 ml de dashi (voir p. 13)
1 cuil. à soupe de sucre en poudre
1 cuil. à soupe de mirin
3 cuil. à soupe de sauce de soja
2 blancs de poulet, coupés en dés
1 oignon moyen, émincé
1 œuf battu
Cresson pour la garniture

❶ Rincer et cuire le riz selon les instructions données sur l'emballage.

❷ Porter le *dashi*, le sucre, le mirin et la sauce de soja à ébullition dans une poêle. Ajouter le poulet et l'oignon. Cuire à feu doux pendant 8 minutes, ou jusqu'à ce que le poulet soit cuit.

❸ Verser l'œuf battu sur le poulet sans mélanger. Lorsque l'œuf est cuit à votre convenance, garnir de cresson. Servir le mélange sur le riz.

SUKIYAKI

Le *sukiyaki* fait partie des quelques plats japonais jouissant d'une grande popularité en Occident. Au Japon, on utilise un poêlon spécialement destiné à cet usage, mais une grande poêle profonde fera tout aussi bien l'affaire. Comme la fondue, le *sukiyaki* cuit directement sur la table et les convives se servent au fur et à mesure. Prévoir des ingrédients frais à portée de main pour regarnir le récipient dès qu'il se vide.

INGRÉDIENTS

1 cube de 2 cm de graisse de bœuf fraîche, ou 1 cuil. à soupe d'huile végétale	200 g de tofu, coupé en deux dans le sens de la longueur, puis en tranches
150 ml de dashi (voir p. 13)	300 g de feuilles de chou chinois, coupées en deux dans le sens de la longueur, puis émincées
1 cuil. à soupe ½ de sucre	
2 cuil. à soupe de mirin	6 champignons shitake, coupés en deux
1 cuil. à soupe de saké	1 petit poireau, émincé en diagonale
2 cuil. à soupe ½ de sauce de soja	300 g de bœuf, coupé en tranches extrêmement fines
1 oignon moyen, coupé en deux puis émincé	2 œufs (facultatif)

❶ Chauffer la graisse ou l'huile dans un poêlon ou une poêle profonde. Ajouter le *dashi*, le sucre, le *mirin*, le saké et la sauce de soja. Quand ce mélange commence à cuire, ajouter la moitié des oignons, du tofu, du chou et des champignons, en regroupant les ingrédients par famille. Cuire à feu doux pendant 7 minutes, et placer la moitié de la viande de bœuf au centre du récipient. Laisser cuire quelques minutes.

❷ Casser les œufs dans 2 bols de service, et battre le blanc et le jaune à l'aide de baguettes. Prendre un peu de viande, de tofu et de légumes cuits, les tremper dans l'œuf cru et déguster avec un bol de riz. Regarnir le récipient de cuisson au fur et à mesure.

MARMITE DE CABILLAUD au chou chinois

TARA TO HAKUSAI NO NABE

Ce plat, très apprécié en hiver, cuit habituellement directement sur la table, sur un réchaud électrique ou à gaz. Chaque convive puise de quoi remplir son assiette, tandis que l'hôte ou l'hôtesse veille à remplir le récipient d'ingrédients frais. Prévoyez une casserole de 20 cm de diamètre.

INGRÉDIENTS

900 ml d'eau

1 morceau de konbu de 7 cm

1 petit poireau, coupé en diagonale, puis en morceaux de 1 cm de large

1 oignon moyen, émincé

2 filets ou steaks de cabillaud de 300 g chacun, coupés en gros dés

200 g de feuilles de chou chinois, coupées en deux dans le sens de la longueur, puis en morceaux de 1 cm

100 g de momen, coupé en dés de 1 cm

100 g de carottes, épluchées et coupées en fines rondelles

4 champignons shitake, coupés en deux

6 pois mange-tout

POUR LA SAUCE PONZU

3 cuil. à soupe de sauce de soja

1 cuil. à soupe de jus de citron

1 cuil. à soupe de vinaigre

1 cuil. à soupe de mirin

½ cuil. à soupe de granulés de dashi instantané

POUR LA GARNITURE

450 g de daikon épluché, râpé et légèrement pressé

Une pincée de sept-épices ou de chili

❶ Mettre l'eau et le *konbu* dans une casserole. Porter à ébullition. Ajouter la moitié du poireau, de l'oignon, du cabillaud, du chou chinois, du tofu, des carottes, des champignons et des pois en regroupant chaque type d'ingrédient. Laisser sur le feu jusqu'à ce que les légumes soient cuits.

❷ Pendant ce temps, bien mélanger la sauce de soja, le jus de citron, le vinaigre, le *mirin* et les granulés de *dashi* dans un saladier.

❸ Lorsque la marmite est à moitié vide, la remplir à nouveau avec des ingrédients crus.

POUR SERVIR

Remplir chaque bol individuel de 2 cuillerées à soupe de daikon et de 1 cuillerée à soupe de ponzu.

Après s'être servi dans la marmite à l'aide des baguettes, tremper les aliments dans la sauce et déguster. Épicer selon son goût. Accompagner de riz.

SOUPE DE NOUILLES à la sauce de soja

SHOYU-RAMEN

Le *ramen*, originaire de Chine, a évolué pour s'adapter au goût japonais. C'est un classique que l'on consomme volontiers au déjeuner ou en en-cas. Le bouillon se conserve plusieurs jours au réfrigérateur et peut être congelé. Les garnitures varient : l'association du beurre fondu et du maïs doux est l'une des plus appréciées. Les nouilles *ramen* se vendent fraîches ou déshydratées. Si ces dernières se conservent plus longtemps, le temps de cuisson reste le même pour les deux variantes.

INGRÉDIENTS

POUR LE BOUILLON *RAMEN* DE BASE
POUR 1,5 LITRE ENVIRON

280 g de carcasse de poulet, grossièrement coupée
2 os de porc
½ poireau
2,5 cm de gingembre frais, épluché et coupé en deux
1 grosse gousse d'ail, coupée en deux
2 l ¼ d'eau

POUR LE *SHOYU-RAMEN*

250 g de nouilles ramen
600 ml de bouillon ramen
3 cuil. à soupe de sauce de soja
½ cuil. à café de sel
Une pincée de poivre noir, fraîchement moulu

POUR LA GARNITURE

8 cuil. à soupe de grains de maïs doux
3 oignons de printemps, émincés
20 g de beurre, en deux morceaux

❶ Préparer le bouillon : blanchir les os de poulet et de porc. Mettre l'eau, les os, le poireau, le gingembre et l'ail dans une grande casserole. Porter à ébullition et cuire à feu doux pendant 1 heure, en écumant de temps en temps. Ne pas laisser le liquide bouillir à nouveau (cela le rendrait trouble). Filtrer le bouillon à travers une passoire.

❷ Plonger les nouilles dans de l'eau bouillante pendant 2 à 2 minutes 30. Égoutter et placer dans des bols individuels.

❸ Dans une casserole, faire chauffer les 600 ml de bouillon, la sauce de soja, le sel et le poivre. À ébullition, verser la soupe dans les bols. Ajouter 4 cuillerées à soupe de maïs, saupoudrer d'oignon émincé et couronner d'un morceau de beurre. Déguster aussitôt !

NOUILLES RAMEN à la soupe de miso

MISO RAMEN

Au Japon, le *ramen* se prend sur le pouce. Dans la variante proposée ici, les saveurs de l'ail frit et de l'huile de sésame s'harmonisent avec celles du *miso* et du chili. Il est difficile de manger ses nouilles avec discrétion. Heureusement, il est dit que plus on fait de bruit, meilleure est la soupe !

INGRÉDIENTS

250 g de nouilles ramen fraîches
600 ml de bouillon ramen (voir p. 74)
½ cuil. à café de sel
2 cuil. à café d'huile de sésame
2 cuil. à café de graines de sésame grillées
3 cuil. à soupe de miso
Une pincée de poivre noir, fraîchement moulu

POUR LA GARNITURE

1 cuil. à soupe d'huile de sésame
175 g de germes de soja
1 grosse gousse d'ail, émincée
½ poivron rouge, coupé en fines lamelles
Une pincée de chili
Une pincée de sel

❶ Plonger les nouilles dans de l'eau bouillante pendant 2 à 2 minutes 30. Égoutter et disposer dans des bols individuels.

❷ Dans une casserole, chauffer le bouillon avec du sel et du poivre. À ébullition, ajouter l'huile et les graines de sésame. Incorporer le *miso* en remuant pour le dissoudre complètement.

❸ Pendant ce temps, faire chauffer l'huile dans une poêle. Faire revenir les germes de soja, l'ail et le poivron rouge. Saupoudrer d'une pincée de chili, de poivre et de sel. Disposer les légumes sur les nouilles. Verser la soupe de *miso* et déguster aussitôt.

NOUILLES AU SARRASIN avec beignet de crevettes géantes

TEMPURA SOBA

Les nouilles *soba* sont fabriquées avec de la farine de sarrasin et se distinguent par leur couleur brune. Tout comme les nouilles *ramen*, elles sont disponibles fraîches ou déshydratées. Les *soba* sont considérées comme un aliment très sain au Japon. En les associant à un beignet de crevettes géantes, on allie qualités nutritives et gastronomiques.

INGRÉDIENTS

2 crevettes géantes

Un peu de farine

4 champignons shitake

150 g de nouilles soba déshydratées

POUR LA PÂTE

2 cuil. à soupe de farine

½ œuf battu

4 cuil. à soupe d'eau

POUR LA SOUPE

600 ml de dashi (voir p. 13)

2 cuil. à café de sucre en poudre

2 cuil. à café de mirin

2 cuil. à café de sauce de soja

2 oignons de printemps, émincés

1 cuil. à café de sel

❶ Mélanger la farine, l'œuf et l'eau dans un bol. Rouler les crevettes dans la farine et les tremper dans la pâte, ainsi que les champignons. Faire dorer les beignets dans l'huile chauffée à 180 °C.

❷ Mettre les nouilles dans une grande casserole d'eau bouillante et laisser cuire environ 3 mn. Les passer à l'eau froide et égoutter. Répartir dans 2 bols individuels.

❸ Dans une casserole, mettre le *dashi*, le sel, le sucre, le *mirin* et la sauce de soja. Porter à ébullition puis verser sur les nouilles.

❹ Disposer une crevette et deux champignons dans chaque bol et saupoudrer d'oignons émincés. Servir aussitôt.

NOUILLES COMPLÈTES à l'œuf

KAKITAMA-UDON

U*don* désigne, en japonais, les pâtes obtenues à partir de farine complète. Très appréciées durant les mois d'hiver en raison de leurs vertus nutritives, les nouilles *udon* se présentent sous différentes formes : plates, rondes, de l'épaisseur d'un petit doigt ou aussi fines que des spaghetti.

INGRÉDIENTS

300 g de nouilles udon fraîches

POUR LA SOUPE

600 ml de dashi (voir p. 13)
2 cuil. à café de sucre en poudre
2 cuil. à soupe de mirin
2 cuil. à soupe de sauce de soja
1 œuf battu
2 cuil. à café de Maïzena
2 cuil. à café d'eau
2 oignons de printemps, émincés
1 cuil. à café de sel

❶ Plonger 2 mn les nouilles dans une grande casserole d'eau bouillante. Égoutter et répartir dans 2 bols individuels.

❷ Mettre le *dashi*, le sel, le sucre, le *mirin* et la sauce de soja dans une casserole ; porter à ébullition. Répartir les ²/₃ du liquide dans les 2 bols. Porter le reste à ébullition et ajouter progressivement l'œuf en remuant doucement afin qu'il remonte à la surface en petits paquets.

❸ Mélanger la Maïzena et l'eau afin d'obtenir une pâte et l'ajouter à la soupe pour l'épaissir. Verser le mélange à l'œuf dans les bols. Saupoudrer d'oignons émincés puis servir aussitôt.

GLOSSAIRE

Abura-age Pâte de soja (ou tofu) frit. Très mince, on le coupe généralement en tranches pour garnir un plat, ou en deux pour le farcir de riz. L'*abura-age* peut être congelé mais ne se conserve que 48 heures au réfrigérateur.

Daikon Radis blanc japonais. S'utilise cru (coupé en lamelles ou râpé) ou cuit. On peut le remplacer par du radis noir.

Dashi Fumet de bonite et/ou d'algue qui sert de base à de nombreuses préparations culinaires. Une version instantanée sous forme de granulés est aujourd'hui disponible dans les épiceries spécialisées.

Konbu Cette variété de varech constitue l'une des meilleures sources d'iode et contient plusieurs autres minéraux importants. Veiller à ne pas le faire bouillir trop longtemps pour éviter qu'il ne prenne un goût amer. Avant cuisson, essuyer le *konbu* sans le rincer, afin que tous ses bienfaits nutritifs soient conservés.

Koya dofu Tofu lyophilisé qui se conserve jusqu'à 6 mois sous sa forme déshydratée.

Avant utilisation, le plonger dans l'eau jusqu'à ce qu'il gonfle et devienne spongieux.

Mirin Vin de cuisine japonais de faible degré alcoolique. Ce liquide sirupeux, obtenu à partir du riz, fournit une saveur sucrée caractéristique aux plats qu'il agrémente.

Miso Le *miso* provient de graines de soja cuites et fermentées avec une levure appelée *koji*. Il est propre à la cuisine japonaise et entre aussi bien dans la composition d'un plat que dans celle d'un assaisonnement. Riche en protéines, il se conserve plusieurs mois au réfrigérateur. Il en existe deux sortes couramment utilisées : le *miso* blanc (à partir de levure de riz) et le *miso* rouge (à partir de levure d'orge). Le premier est généralement réservé aux soupes, tandis que le second relève le goût de nombreux plats.

Nori L'algue la plus couramment utilisée dans la cuisine japonaise. Elle se présente sous la forme de feuilles très minces. Avant utilisation, le *nori* est rapidement passé au grill ou au-dessus du brûleur de la

cuisinière, jusqu'à ce qu'il prenne une couleur vert foncé. Il existe des *nori* prégrillés dans le commerce. Soyez attentifs au type dont vous avez besoin lors de vos achats.

Saké Vin de riz japonais fabriqué au Japon comme à l'étranger. Le saké ne s'utilise qu'avec parcimonie dans la cuisine japonaise. On en trouve à présent facilement en Occident, mais on peut le remplacer par du xérès.

Sauce de soja Indissociable de la cuisine japonaise, ce mélange de graines de soja fermentées, de blé et de sel est plus léger et plus sucré que son équivalent chinois. La marque japonaise Kikkoman est aujourd'hui disponible partout.

Shitake séché Le champignon le plus couramment utilisé dans la cuisine japonaise. Il se distingue par son goût et sa texture particuliers. Acheté sous forme déshydratée, il doit être mis à tremper dans de l'eau pendant 30 minutes avant d'être utilisé. L'eau peut être réutilisée pour un *dashi*.

Vinaigre de riz Connu sous le nom de *su*, le vinaigre de

GLOSSAIRE

riz japonais est obtenu à partir de riz fermenté naturellement. Le *su* clair, très répandu, convient au riz pour sushi. Le *su* foncé, la base non raffinée du *su* blanc, peut s'utiliser dans n'importe quelle recette où la couleur du vinaigre importe peu.

Wakame Algue surtout utilisée dans la confection de soupes et de salades. Le wakame ne doit jamais cuire très longtemps. Il est disponible sous forme déshydratée. Dans ce cas, le mettre à tremper dans de l'eau froide pendant 5 minutes.

Wasabi Traduit à tort par « raifort », le *wasabi* est l'appellation courante du *wasabia japanica*, une plante aquatique japonaise. On le trouve prêt à l'emploi dans le commerce, mais il se révèle moins relevé que la poudre traditionnelle, que l'on doit mélanger avec de l'eau.

INDEX